APPRENTIS LE
FÊTE

ROSH HASHANAH ET YOM KIPPOUR

David F. Marx

Texte français de Dominique Chichera

Éditions
SCHOLASTIC

Catalogage avant publication de Bibliothèque
et Archives Canada

Marx, David F.
Rosh Hashanah et Yom Kippour / David F. Marx;
texte français de Dominique Chichera.

(Apprentis lecteurs. Fêtes)
Traduction de : Rosh Hashanah and Yom Kippur.
Pour enfants de 5 à 8 ans.
ISBN 978-0-545-99828-4

1. Rosh Hashanah--Ouvrages pour la jeunesse.
2. Yom Kippour-- Ouvrages pour la jeunesse.
I. Chichera, Dominique II. Titre. III. Collection.
BM693.H5T7814 2007   296.4'31   C2007-900178-5

Conception graphique : Herman Adler Design
Recherche de photos : Caroline Anderson

La photo en page couverture montre une fillette qui souffle dans un shofar.

Édition publiée par les Éditions Scholastic,
604, rue King Ouest, Toronto (Ontario) M5V 1E1.

5 4 3 2 1   Imprimé au Canada   07 08 09 10 11

Rosh Hashanah et Yom Kippour sont deux fêtes célébrées par les personnes qui pratiquent la religion juive.

Une période de 10 jours
sépare ces deux fêtes.
Elles se déroulent chaque
année durant le mois de
septembre ou d'octobre.

Rosh Hashanah et Yom
Kippour sont appelées
« grands jours saints ».

Septembre 2007

Dimanche	Lundi	Mardi	Mercredi	Jeudi	Vendredi	Samedi
						1
2	3	4	5	6	7	8
9	10	11	12	13	14	15
16	17	18	19	20	21	22
23 / 30	24 / 31	25	26	27	28	29

En 2007, Rosh Hashanah est le 13 septembre et
Yom Kippour le 22 septembre.

Rosh Hashanah marque le début de l'année juive. C'est un moment très important.

Les juifs mangent des quartiers de pomme trempés dans du miel pour que la nouvelle année soit « douce ».

Les juifs se réunissent dans des lieux appelés synagogues pour assister à des offices religieux menés par un rabbin.

9

Le rabbin souffle dans une corne de bélier pour appeler les juifs à se rassembler. Cette corne est appelée *shofar*.

Le rabbin lit des textes de la Thora. La Thora renferme l'histoire du peuple juif.

La Thora contient des histoires anciennes sur Moïse, Abraham, Isaac et bien d'autres personnages.

Abraham (à droite) et Isaac

Rosh Hashanah dure deux jours.

Yom Kippour, l'autre « grand jour saint », a lieu 10 jours plus tard.

Les jours qui séparent ces deux fêtes sont appelés « jours redoutables ».

Yom Kippour est une journée tranquille, réservée à la prière et à la méditation.

Beaucoup de juifs jeûnent.
Cela signifie qu'ils ne mangent
pas pendant toute la journée.

Yom Kippour est l'occasion pour les juifs de penser aux membres de leur famille et à leurs amis qui sont décédés.

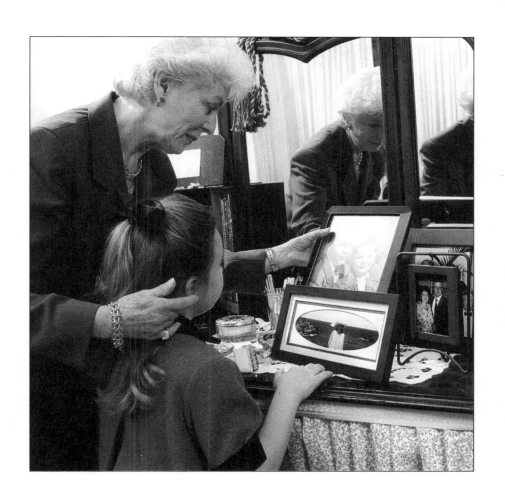

C'est aussi l'occasion de penser
à la façon dont ils ont traité les
autres durant l'année. Ont-ils
été bons? Ont-ils tenu leurs
promesses?

Beaucoup pensent aux bonnes
actions qu'ils pourraient faire
au cours de la nouvelle année.

Durant l'office de Yom Kippour, les gens chantent le *Kol Nidré*. C'est un chant spécial qui explique comment être une bonne personne.

Lorsque le soleil se couche, le jour de Yom Kippour, les grands jours saints prennent fin.

Les juifs partagent alors un repas pour rompre leur jeûne.

Durant Rosh Hashanah
et Yom Kippour, les juifs
pensent à l'année qui vient
de se terminer.

Ils décident de la façon dont
ils pourraient faire changer
les choses durant l'année qui
commence.

Ils disent : « L'Shanah Tovah! »
ou « Bonne année! »

Les mots que tu connais

Abraham et Isaac

pommes

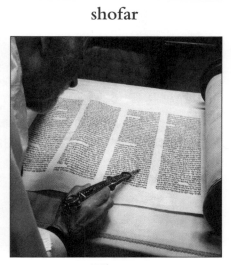

shofar

synagogue

Thora

31

Index

Références photographiques

© Bridgeman Art Library International Ltd., Londres/New York : 15, 30
(EDI81506/Collection privée); Corbis-Bettmann : 24, 31 en bas à gauche (Reuters);
Dan Brody : 8, 9, 11, 31 en haut à droite; Liaison Agency, Inc. : 21 (Bob Schatz);
Post Stock/The Palm Beach Post : 28 (Palm Beach Daily News); Photodisk : 27;
PhotoEdit : 19 (Robert Brenner), 18 (Felicia Martinez), 22 (D. Young-Wolfe);
Randy Matusow : couverture, 3, 6, 16, 31 en haut à gauche; Stock Boston :
23 (Spencer Grant), 12, 31 en bas à droite (Herb Snitzer).
Nous remercions tout particulièrement la synagogue Brooklyn Heights,
de Brooklyn, New York (États-Unis).